Les roues de l'autobus fantôme

J. Elizabeth Mills

Illustrations de Ben Mantle

Texte français d'Isabelle Montagnier

SCHOLASTIC

Pour Lia Mojica, créatrice de chauves-souris en papier, de toiles d'araignées en ouate, de monstres sur la porte et de toutes sortes de friandises étranges... Joyeuse Halloween! — J.E.M.

Pour Arwen — B.M.

Catalogage avant publication de Bibliothèque et Archives Canada

Mills, J. Elizabeth
[Spooky wheels on the bus. Français]
Les roues de l'autobus fantôme / J. Elizabeth Mills ; illustrations de Ben Mantle ; texte français d'Isabelle Montagnier.

Traduction de: The spooky wheels on the bus.
ISBN 978-1-4431-6994-3 (couverture souple)

1. Chansons enfantines françaises. 2. Autobus--Chants et musique. 3. Halloween--Chants et musique. 4. Calcul--Ouvrages pour la jeunesse. I. Mantle, Ben, illustrateur II. Titre : Spooky wheels on the bus. Français

PZ24.3.M55Rou 2018 j398.8 C2018-903793-8

Édition publiée par les Éditions Scholastic, 604, rue King Ouest, Toronto (Ontario) M5V 1E1.

5 4 3 2 1 Imprimé au Canada 119 18 19 20 21 22

Conception graphique d'Angela Jun

L'autobus fantôme fait **CRIC, CRAC, TCHIC, CRIC, CRAC, TCHIC, CRIC, CRAC, TCHIC.**

L'autobus fantôme fait **CRIC, CRAC, TCHIC,** dans toute la ville.

Deux essuie-glaces blancs font **CHUIT, CHUIT, CHUIT, CHUIT, CHUIT, CHUIT, CHUIT, CHUIT, CHUIT.**

Deux essuie-glaces blancs font **CHUIT, CHUIT, CHUIT,**
dans toute la ville.

Trois matous bruyants font **MIAOU, CRICH, CRICH, MIAOU, CRICH, CRICH, MIAOU, CRICH, CRICH.**

Trois matous bruyants font **MIAOU, CRICH, CRICH,** dans toute la ville.

Quatre roues luisantes **TOURNENT, TOURNENT, TOURNENT, TOURNENT, TOURNENT, TOURNENT.**

Quatre roues luisantes **TOURNENT, TOURNENT,**
dans toute la ville.

Cinq belles araignées **TISSENT LEUR TOILE,**
TISSENT LEUR TOILE, TISSENT LEUR TOILE.

Cinq belles araignées **TISSENT LEUR TOILE**,
dans toute la ville.

Six mamans momies chantent **MMM, MMM, MMM, MMM, MMM, MMM, MMM, MMM, MMM.**

Six mamans momies chantent **MMM, MMM, MMM,**
dans toute la ville.

Sept monstres gentils **SE TRÉMOUSSENT, SE TRÉMOUSSENT, SE TRÉMOUSSENT.**

Sept monstres gentils **SE TRÉMOUSSENT,**
dans toute la ville.

Huit sorcières affreuses **RICANENT ET HURLENT,**
RICANENT ET HURLENT, RICANENT ET HURLENT.

Huit sorcières affreuses **RICANENT ET HURLENT,**
dans toute la ville.

Neuf balais magiques font **FROUCH, FROUCH, FROUCH, FROUCH, FROUCH, FROUCH, FROUCH, FROUCH, FROUCH.**

Neuf balais magiques font **FROUCH, FROUCH, FROUCH,** dans toute la ville.

Dix fantômes joyeux disent **BOU-HOU-HOU,**
BOU-HOU-HOU, BOU-HOU-HOU.

Dix fantômes joyeux disent **BOU-HOU-HOU**,
dans toute la ville.

L'autobus fantôme fait **CRIC, CRAC, TCHIC, CRIC, CRAC, TCHIC, CRIC, CRAC, TCHIC.**

ARRÊT D'AUTOBUS

L'autobus fantôme fait **CRIC, CRAC, TCHIC...**

le soir de l'Halloween!